Bénédicte GUETTIER

TROTRO
ET LA
BALANÇOIRE

GALLiMARD jeunesse GiBOULÉes

TROTRO ET LILI SE BALANCENT. TU SAIS LANCER
TES JAMBES EN AVANT COMME ÇA? DEMANDE TROTRO.

BIEN SÛR ! RÉPOND LILI.

EST-CE QUE TU SAIS TE BALANCER EN FERMANT
LES YEUX ? DEMANDE TROTRO. C'EST TRÈS FACILE !
RÉPOND LILI EN RIANT.

EST-CE QUE TU SAIS TE BALANCER TRÈS
FORT COMME CELA ? DEMANDE TROTRO.
J'ADORE ÇA ! RÉPOND LILI.

MOI, JE SAIS SAUTER TRÈS LOIN! DIT TROTRO.

ET MOI, ENCORE PLUS LOIN ! RÉPOND LILI.

LE GOÛTER EST PRÊT! APPELLE MAMAN.

HUM, QUEL BEAU GOÛTER ! MAIS TROTRO CONTINUE
DE SE BALANCER SUR SA CHAISE.

ARRÊTE DE TE BALANCER TROTRO! DIT MAMAN TU VAS TOMBER!
TU SAIS TE BALANCER COMME ÇA, LILI? NON, RÉPOND LILI,
ET J'AI PAS ENVIE!